4 + 4 + 4 = ▢

___ fours are ▢

___ + ___ + ___ + ___ + ___ = ▢

___ twos are ▢

___ + ___ + ___ = ▢

fives are ▢

Use cubes.

2 fours are ___   3 threes are ___

3 sixes are ___   6 twos are ___

5 fives are ___   7 threes are ___

___ + ___ + ___ + ___ = ☐

| 4 times 3 = | 4 × 3 = |

___ + ___ + ___ + ___ + ___ = ☐

| 5 times 2 = | 5 × 2 = |

___ + ___ + ___ + ___ + ___ = ☐

| 5 times 4 = | 5 × 4 = |

___ times ___ = ___

___ × ___ =

___ times ___ = ___

___ × ___ =

2 times 3 = ☐

2 × 3 = ☐

___ times ___ = ☐

___ × ___ = ☐

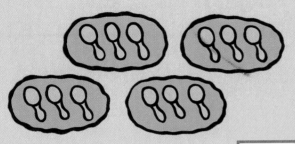

___ times ___ = ☐

4 × ___ = ☐

___ times ___ = ☐

___ × ___ = ☐

Use cubes.

2 times 6 = ___   4 times 3 = ___

3 times 7 = ___   5 times 4 = ___

5 times 3 = ___   2 times 8 = ___

5 × 2 = ___   4 × 6 = ___   9 × 2 = ___

3 × 5 = ___   6 × 2 = ___   4 × 4 = ___

3 × 8 = ___   5 × 5 = ___   2 × 10 = ___

__2__ × ____ = ____   __4__ × ____ = ____

____ × __5__ = ____   ____ × __4__ = ____

____ × ____ = ____   ____ × ____ = ____

Use cubes.

2 × 3 = ☐
3 × 2 = ☐

4 × 1 = ☐
1 × 4 = ☐

3 × 5 = ☐
5 × 3 = ☐

4 × 6 = ☐
6 × 4 = ☐

2 × 5 = ☐
5 × 2 = ☐

6 × 3 = ☐
3 × 6 = ☐

Use cubes.

3 × 2   2 × 3   6

1 × 7   7 × 1

3 × 7   7 × 3

4 × 5   5 × 4

2 × 7	=	7 ×

8 × 3	=	× 8

5 ×	=	9 × 5

× 10	=	10 × 7

Multiply.

1 × 2 =   9 × 0 =   1 × 9 =

4 × 3 =   2 × 1 =   10 × 2 =

3 × 0 =   3 × 4 =   9 × 1 =

2 × 10 =   0 × 3 =   0 × 9 =

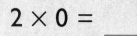

2 × 0 = ____	0 × 2 = ____
2 × 1 = ____	1 × 2 = ____
2 × 2 = ____	2 × 2 = ____
2 × 3 = ____	3 × 2 = ____
2 × 4 = ____	4 × 2 = ____
2 × 5 = ____	5 × 2 = ____
2 × 6 = ____	6 × 2 = ____
2 × 7 = ____	7 × 2 = ____
2 × 8 = ____	8 × 2 = ____
2 × 9 = ____	9 × 2 = ____
2 × 10 = ____	10 × 2 = ____

8   10   12   [ ]   [ ]   18   [ ]

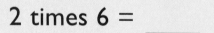

2 times 6 = ____	2 fives = ____	2 × 8 = ____
3 times 2 = ____	4 twos = ____	10 × 2 = ____
2 times 10 = ____	2 nines = ____	2 × 2 = ____
1 times 2 = ____	7 twos = ____	0 × 2 = ____

Match.

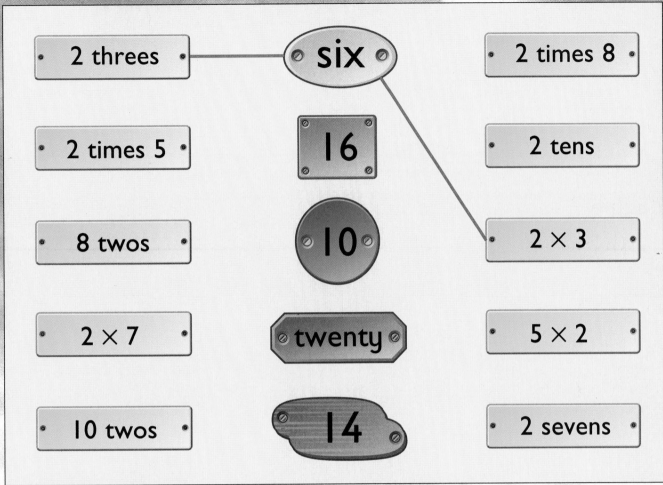

2 threes	six	2 times 8
2 times 5	16	2 tens
8 twos	10	2 × 3
2 × 7	twenty	5 × 2
10 twos	14	2 sevens

$2 \times \boxed{} = 10$

$2 \times \boxed{} = 18$

$2 \times \boxed{} = 20$

$2 \times \boxed{} = 0$

$\boxed{} \times 2 = 8$

$\boxed{} \times 2 = 16$

$\boxed{} \times 2 = 6$

$\boxed{} \times 2 = 2$

$\boxed{} \times \boxed{} = 4$

$\boxed{} \times \boxed{} = 14$

$\boxed{} \times \boxed{} = 12$

$\boxed{} \times \boxed{} = 20$

2   4   8   10

double 5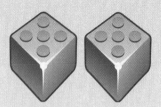

double 6

__2__ × __5__ = _____   _____ × _____ = _____

double 7 = _____   double 8 = _____   double 9 = _____

Match.

| double 12 | twice 11 | double 15 |

(20) (22) (24) (26) (28) (30)

| twice 10 | double 14 | twice 13 |

Double.

| 15 | 20 | 25 | 30 |
| 30 | | | |

| 35 | 40 | 45 | 50 |
| | | | |

$10 \times 0 =$ ☐

$10 \times 1 =$ ☐

$10 \times 2 =$ ☐

$10 \times 3 =$ ☐

$10 \times 4 =$ ☐

$10 \times 5 =$ ☐

$10 \times 6 =$ ☐

$10 \times 7 =$ ☐

$10 \times 8 =$ ☐

$10 \times 9 =$ ☐

$10 \times 10 =$ ☐

10 times 4

10 twos

10 times 7

10 tens

10 times 0

10 eights

Match and colour.

50

90

60

2×5

10 sixes

10×9

10×5

10×1

 2 × 10

20

 10 × 2

10 × 8 = ☐   8 × 10 = ☐   6 × 10 = ☐

9 × 10 = ☐   10 × 7 = ☐   10 × 10 = ☐

3 × 10 = ☐   0 × 10 = ☐   5 × 10 = ☐

10 × 1 = ☐   10 × 6 = ☐   10 × 4 = ☐

Join in order.

20   50   6 tens

 10 × 0

1 × 10

3 tens   4 × 10   80   7 × 10

10 × ☐ = 70

3 × ☐ = 30

10 × ☐ = 90

5 × ☐ = 50

☐ × 10 = 80

☐ × 10 = 20

☐ × 1 = 10

☐ × 6 = 60

☐ × ☐ = 10

☐ × ☐ = 40

☐ × ☐ = 100

☐ × ☐ = 0

Multiply.

 5 × 3

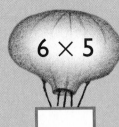 6 × 5

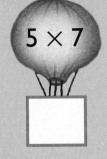 5 × 7

 5 × 2

 5 times 1

 5 times 8

 4 × 5

 8 × 5

 10 × 5

 5 × 0

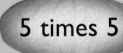 5 times 5

Colour red 10 yellow 15 blue 20 green 30 .

| 5 times 3 | 5 times 2 | 5 × 4 | 6 fives |
| 2 × 5 | 4 fives | 5 × 6 | 3 × 5 |

5 × [ ] = 35   [ ] × 6 = 30

5 × [ ] = 45   [ ] × 5 = 5

3 × [ ] = 15   [ ] × 10 = 50

Multiplication: facts for 5

$2 \times 5 =$ ☐ $\qquad$ $10 \times 9 =$ ☐ $\qquad$ $5 \times 3 =$ ☐

$2 \times$ ☐ $= 2$ $\qquad$ $4 \times$ ☐ $= 12$ $\qquad$ ☐ $\times 5 = 25$

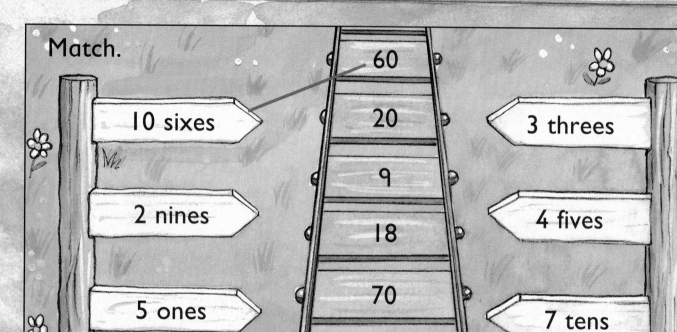

Match.

10 sixes $\qquad$ 60

20 $\qquad$ 3 threes

2 nines $\qquad$ 9

18 $\qquad$ 4 fives

5 ones $\qquad$ 70

7 tens

5

6 multiplied by 2 = ☐ $\qquad$ 3 multiplied by 4 = ☐

Multiply 8 by 2. ☐ $\qquad$ Multiply 10 by 10. ☐

Multiply 2 by 5. ☐ $\qquad$ Multiply 4 by 4. ☐

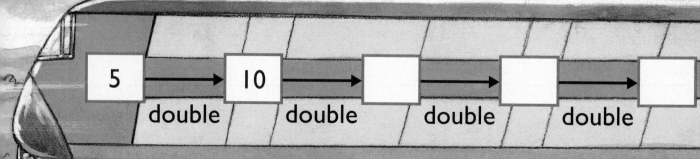

5 → 10 → ☐ → ☐ → ☐

double $\qquad$ double $\qquad$ double $\qquad$ double

Multiplication: consolidation

How much altogether?

$$9 \times 10p = \qquad p$$

 5p 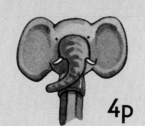 4p  6p  10p

Find the cost of

10 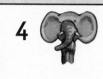 10 × 4p = _____ p	2  2 × _____ = _____ p
4 	5
10 	3 
2  and 3	10 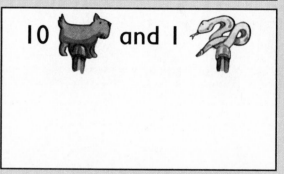 and 1

 Lena has 12p. What can she buy?

 Steven has 25p. Tick (✓) what he can buy.

 3    10    5    5

pencils

1

     3 sets of ____ = ____

2 fours are ____   5 times 5 = ____

3 twos are ____   3 times 3 = ____

2

3 × 1 = ____   4 × 2 = ____   5 × 2 = ____

2 × 5 = ____   3 × 6 = ____   1 × 4 = ____

3 × 4 = ____   6 × 2 = ____   10 × 2 = ____

3 Match.

(3 × 4)   (2 × 7)   (7 × 2)

(4 × 3)   (10 × 5)

(4 × 6)   (6 × 4)   (5 × 10)

4 Multiply.

5 × 1 = ☐   7 × 0 = ☐   1 × 8 = ☐

0 × 3 = ☐   6 × 1 = ☐   4 × 0 = ☐

1

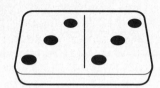

double 3 = ___   2 times 3 = ___

double 8 = ___   twice 9 = ___   double 10 = ___

2

10 × 5 = ☐   2 × 2 = ☐   10 × 7 = ☐

2 × 5 = ☐   10 × 9 = ☐   2 × 6 = ☐

10 × 10 = ☐   2 × 7 = ☐   10 × 0 = ☐

3

2 multiplied by 4 = ___   1 multiplied by 10 = ___

3 multiplied by 4 = ___   7 multiplied by 2 = ___

4 Multiply.

3 by 5 ___   4 by 3 ___   5 by 4 ___

5

5 × ☐ = 20   ☐ × 10 = 80

10 × ☐ = 60   ☐ × 6 = 30

Multiplication: assessment

Use cubes. Share equally.

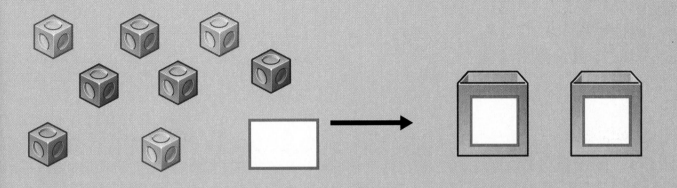

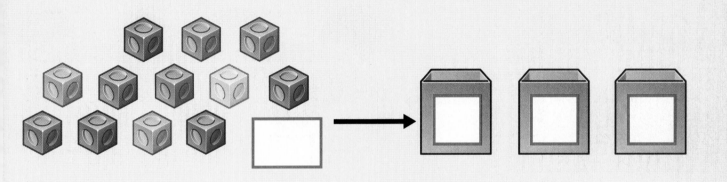

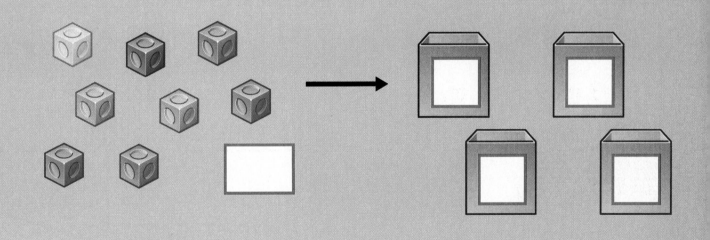

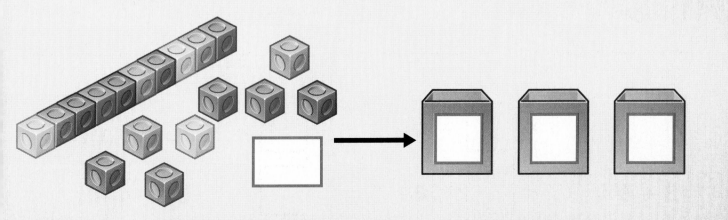

Use cubes. Share equally.

14 ÷ 2 =

20 ÷   =

÷   =

Divide.

6 ÷ 3 = ☐   4 ÷ 4 = ☐   18 ÷ 2 = ☐

10 ÷ 5 = ☐   9 ÷ 3 = ☐   15 ÷ 5 = ☐

18 ÷ 6 = ☐   20 ÷ 2 = ☐   24 ÷ 4 = ☐

| 12 | How many groups of 3? ____ |

| | How many groups of 2? ____ |

| | How many groups of 5? ____ |

| | How many groups of 4? ____ |

How many

groups of 3?

 15

 21

groups of 5?

 10

 20

groups of 2?

 12

 18

groups of 4?

 12

 20

Divide.

$8 \div 2 =$ ☐ $18 \div 3 =$ ☐ $20 \div 2 =$ ☐

$16 \div 4 =$ ☐ $20 \div 10 =$ ☐ $24 \div 3 =$ ☐

$5 \div 5 =$ ☐ $30 \div 10 =$ ☐ $30 \div 5 =$ ☐

Divide.

$16 \div 2 =$ _____ $6 \div 1 =$ _____

$15 \div 3 =$ _____ $12 \div 2 =$ _____

$20 \div 5 =$ _____ $16 \div 4 =$ _____

$3 \div 1 =$ _____ $10 \div 5 =$ _____

$12 \div 3 =$ _____ $5 \div 1 =$ _____

25

18

☐ teams of 5   ☐ teams of 3

24

Share equally among 4.

9

Share equally among 3.

☐ each   ☐ each

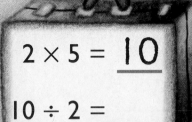

$2 \times 5 = 10$

$10 \div 2 = \underline{\hphantom{00}}$

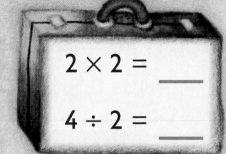

$2 \times 8 = \underline{\hphantom{00}}$

$16 \div 2 = \underline{\hphantom{00}}$

$2 \times 2 = \underline{\hphantom{00}}$

$4 \div 2 = \underline{\hphantom{00}}$

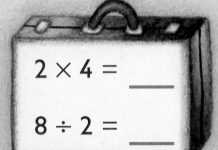

$2 \times 4 = \underline{\hphantom{00}}$

$8 \div 2 = \underline{\hphantom{00}}$

$2 \times 1 = \underline{\hphantom{00}}$

$2 \div 2 = \underline{\hphantom{00}}$

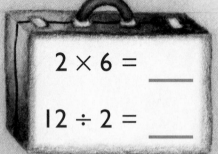

$2 \times 6 = \underline{\hphantom{00}}$

$12 \div 2 = \underline{\hphantom{00}}$

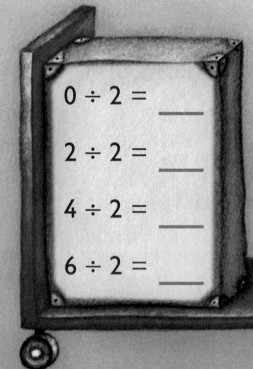

$0 \div 2 = \underline{\hphantom{00}}$

$2 \div 2 = \underline{\hphantom{00}}$

$4 \div 2 = \underline{\hphantom{00}}$

$6 \div 2 = \underline{\hphantom{00}}$

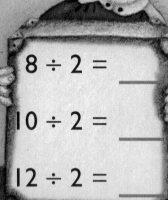

$8 \div 2 = \underline{\hphantom{00}}$

$10 \div 2 = \underline{\hphantom{00}}$

$12 \div 2 = \underline{\hphantom{00}}$

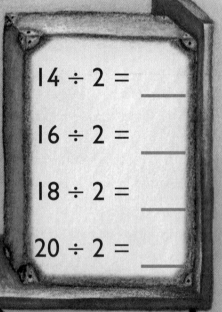

$14 \div 2 = \underline{\hphantom{00}}$

$16 \div 2 = \underline{\hphantom{00}}$

$18 \div 2 = \underline{\hphantom{00}}$

$20 \div 2 = \underline{\hphantom{00}}$

$10 \div 2 = \underline{\hphantom{00}}$

$14 \div 2 = \underline{\hphantom{00}}$

$2 \div 2 = \underline{\hphantom{00}}$

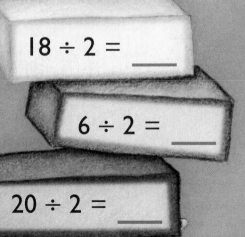

$18 \div 2 = \underline{\hphantom{00}}$

$6 \div 2 = \underline{\hphantom{00}}$

$20 \div 2 = \underline{\hphantom{00}}$

Divide by 2.

12 divided by 2 = ____   10 divided by 2 = ____

6 divided by 2 = ____   20 divided by 2 = ____

Divide 4 by 2. ____   Divide 14 by 2. ____

Divide 8 by 2. ____   Divide 2 by 2. ____

☐ ÷ 2 = 3   ☐ ÷ 2 = 1   ☐ ÷ 2 = 5

☐ ÷ 2 = 8   ☐ ÷ 2 = 10   ☐ ÷ 2 = 7

10 ÷ 2 = ___   half of 10 = ___

12 ÷ 2 = ___   half of 12 = ___

18 ÷ 2 = ___   half of 18 = ___

Match.

half of 16   half of 60   half of 14

8   20   15   7   30   25

half of 30   half of 40   half of 50

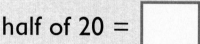

half of 20 = ☐

half of 80 = ☐   half of 100 = ☐

half of 70 = ☐   half of 90 = ☐

10 ÷ 10 = 1

20 ÷ 10 = 2

30 ÷ 10 =

40 ÷   = 4

    ÷ 10 = 5

    ÷   = 6

70 ÷ 10 =

80 ÷   = 8

    ÷ 10 = 9

    ÷ 10 = 10

70 ÷ 10

10 ÷ 10

40 ÷ 10

0 ÷ 10

60 ÷ 10

Match.

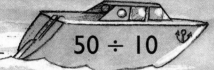

50 ÷ 10

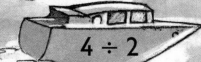

4 ÷ 2

half of 10

10 ÷ 1

2

5

10

10 ÷ 2

100 ÷ 10

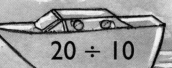

20 ÷ 10

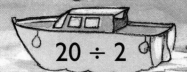

20 ÷ 2

60 ÷ 10 = ☐   90 ÷ 10 = ☐   50 ÷ 10 = ☐

10 ÷ 10 = ☐   30 ÷ 10 = ☐   0 ÷ 10 = ☐

20 ÷ 10 = ☐   40 ÷ 10 = ☐   80 ÷ 10 = ☐

How many teams of 10?

40

teams

60

teams

20

teams

50

teams

Share equally among 10.

30

☐ each

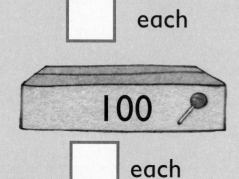

70

☐ each

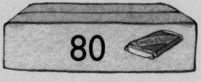

80

☐ each

100

☐ each

 £16   Share equally between 2. ⟶ £ ☐ each

 £80   Share equally among 10. ⟶ £ ☐ each

 £20   Share equally between 2. ⟶ £ ☐ each

$14 \div 2 =$ ☐ $30 \div 10 =$ ☐ $70 \div 10 =$ ☐

$7 \div 1 =$ ☐ $50 \div 10 =$ ☐ $18 \div 2 =$ ☐

$60 \div 10 =$ ☐ $10 \div 10 =$ ☐ $10 \div 2 =$ ☐

$90 \div$ ☐ $= 9$ $12 \div$ ☐ $= 6$ $8 \div$ ☐ $= 4$

$100 \div$ ☐ $= 10$ $20 \div$ ☐ $= 10$ $40 \div$ ☐ $= 4$

✸ Half price sale ✸

£20

Sale
£ 10

£6

Sale
£____

£100

Sale
£____

£40

Sale
£____

£10

Sale
£____

$2 \times 5 = $ _____

$5 \times 2 = $ _____

$10 \div 2 = $ _____

$2 \times 10 = $ _____

$10 \times 2 = $ _____

$20 \div 2 = $ _____

$20 \div 10 = $ _____

$10 \times 5 = $ _____

$5 \times 10 = $ _____

$50 \div 10 = $ _____

$10 \times 4 = \boxed{}$

$\boxed{} \times 10 = 40$

$40 \div \boxed{} = 4$

$2 \times 6 = \boxed{}$

$\boxed{} \times 2 = 12$

$12 \div \boxed{} = 6$

$10 \times 7 = $ _____

$70 \div 10 = $ _____

$2 \times 9 = $ _____

$18 \div 2 = $ _____

$10 \times 8 = $ _____

$80 \div 10 = $ _____

$30 \div \boxed{} = 3$

$\boxed{} \div 2 = 1$

$16 \div \boxed{} = 8$

$\boxed{} \div 10 = 7$

$90 \div \boxed{} = 9$

$\boxed{} \div 2 = 2$

1 Use cubes. Share equally.

15 →

2 How many groups of 5? ___

3

12   How many groups of 3? ___

16   How many groups of 4? ___

4

6 ÷ 3 = ☐   15 ÷ 5 = ☐   8 ÷ 4 = ☐

18 ÷ 3 = ☐   20 ÷ 4 = ☐   5 ÷ 5 = ☐

10 ÷ 1 = ☐   8 ÷ 2 = ☐   6 ÷ 1 = ☐

1

10 ÷ 2 = ___   30 ÷ 10 = ___   12 ÷ 2 = ___

10 ÷ 10 = ___   16 ÷ 2 = ___   2 ÷ 2 = ___

6 ÷ 2 = ___   20 ÷ 10 = ___   100 ÷ 10 = ___

2

half of 18 = ☐   half of 60 = ☐

half of 100 = ☐   half of 30 = ☐

3

Divide 8 by 2. ___   Divide 40 by 10. ___

18 divided by 2 = ___   90 divided by 10 = ___

4 Match.

| 40 ÷ 10 | 50 ÷ 10 | 14 ÷ 2 | 60 ÷ 10 |

| ⑤ | ④ | ⑥ | ⑦ |

| 10 ÷ 2 | 70 ÷ 10 | 8 ÷ 2 | 12 ÷ 2 |

Division: assessment

Published by Heinemann Educational Publishers, Halley Court, Jordan Hill, Oxford OX2 8EJ,
a division of Reed Educational and Professional Publishers Ltd.
ISBN 0 435 16985 8 © Scottish Primary Mathematics Group 1999.
First published 1999.   03   10 9 8 7 6
Designed and illustrated by Gecko Ltd. Printed by Pindar plc, Scarborough.

ISBN 0-435-16985-8